Aves y haykus

Paco Javier Fernández

Aves y haykus

KRK EDICIONES

Índice

Aves y haykus

...Sí, sí, sí, sí, sí.

Soy un desesperado pajarero,

No puedo corregirme

Y aunque no me conviden

Los pájaros a la enrramada,

Al cielo al océano

A su conversación, a su banquete,

Yo me invito a mi mismo

Y los acecho

Sin perjuicio ninguno:

Jilgueros amarillos

Tordos negros

Oscuros cormoranes pescadores

O metálicos mirlos,

Ruiseñores,

Vibrantes codornices,

Águilas inherentes

PABLO NERUDA

Tu inspiraste

muerte de un viajante

cauta codorniz

Codorniz común: *Coturnix coturnix*

Codorniz de los antiguos (onomatopéyico).

Roja candela

creada para morir,

perdiz, que pena.

Perdiz roja: *Alectoris rufa.*

Ave relacionada con el gallo de los antiguos griegos (*alectoris*: gallo)

de color rojo (*rufus-a-um*: rojo, bermejo, rubio).

Altas hamacas,

jotas entre acebos.

Desapareciendo.

Urogallo común: *Tetrao urogallus.*

Del latín *tetrao*: ave de caza, del griego *oura*: cola y del latín *gallus*: gallo.

Oca viajera

notario del invierno

en las marismas

Ansar común: *Anser anser.*

Ganso de los antiguos romanos (*anser anser*).

Con tapa verde

y etiqueta roja

un tarro blanco

Tarro blanco: *Tadorna tadorna.*

Del celta *tadorne*: ave acuática pintada y del latín *ferrugineus*: herrumbroso.

Comun azulón,

pato de realengo

y gargantilla.

Ánade azulón: *Anas platyrynchos.*

Pato (*anas-atis*: ánade, pato) de pico ancho

(del griego *platys*: ancho, plano y de *rhynchos*: hocico, morro).

Un verde margen
alegra la laguna,
una cerceta

Cerceta común: *Anas crecca*.

Del latín *anas*: pato y del sueco *krycka*: pato de alas verdes.

Negras cucharas

retozan por las charcas

anadeando.

Pato cuchara común: *Spatula clipeata*.

Del latín *spatula*: espátula y *clypeatus*: portador de escudo.

Picudo porrón

con pitorro canela

zócalo negro

Porrón europeo: *Aythya ferina.*

Del griego *aithia*: pájaro de mar, y del latín *ferinus-a-um*: animal salvaje.

Un somormujo,

alocado bailarín,

pincel de plumas.

Ave que tiene las patas cerca del ano (*podicis*: culo y *pedis*: pie) y con

cresta o moño (*cristatus-a-um*).

Aguas tranquilas,

tenaces zambullidas,

tracción trasera.

Zampullín común: *Tachiboptus Ruficollis.*

Del griego *takhus*: rápido, veloz y del latín *rufus*: rojo, rufo y *collun*: cuello.

Al zampullín,

lo rozó el rey Midas

sobre los ojos.

Zampullín cuellinegro: *Podiceps Nigricolis.*

Ave que tiene las patas cerca del ano (*pes-pedis*: pie y *podes-icis*: ano)

y de cuello negro (de *collumi*: cuello y *niger-a-um*: negro).

Rojo flamenco,

sílfide ave fénix,

cedazo rosa.

Flamenco común: *Phoenicopterus ruber.*

Del griego *phoinix*: rojo y *pteros*: ala y del latín *roseus*: rosa.

Paloma rural

migraste a la ciudad

y la cagaste

Paloma bravia: *Columba livia*

Paloma de color gris azulado (del latín *columba-ae*: paloma y *liveus*: gris azulado).

Abril florido

gemidos de tórtola,

atardeceres

Tórtola europea: *Streopelia Turtur.*

Paloma con collar (del griego *streptos*: collar y *turtur*: onomatopéyico).

Porta el agua
a muy bajo precio
¡menuda ganga

Ganga ortega: *Pterocles alchata*.

Del griego *pteron*: ala y *kles*: notable y del árabe *al kattar*: lo más barato.

Mustio fantasma,

catador de rebaños

un chotacabras.

Largos alfanjes

rasgan el cielo, chillan;

negros vencejos.

Vencejo común: *Apus apus.*

Del latín *apus-odi*: que no tiene patas, ápodo.

El cuco burlón

estafa a cornudos

y confiados

Cuco común: *Cuculus canorus*

Cuco (del lattín *cuculus-i*: onomatopéyico) y de *canorus*: canto melodioso.

Crudas estepas,

flemáticas caminan

presuntuosas.

Avutarda común: *Otis tarda*.

Del griego *otis*: avutarda con largas plumas en las orejas y del latín *tarda*:

avutarda.

Por los rastrojos,

los huidizos sisones,

crueles, peonan

Sisón común: *Tetrax tetrax.*

Faisán, urogallo (del griego *tetrax*).

Coqueto azul,

huraño patirrojo,

por las eneas

Calamón comun: *Porphyrio porphyrio*

Polla de agua (del latín *porphyrio* y a su vez de *porphurion*: gallineta).

Entre ninfeas

las fúlicas gallinas

visten sotana

Focha común: *Fulica atra.*

Polla de agua (*fulica-ae*: polla de agua) de color negro (*ater-tra-trum*: negro mate.

Rondan traviesas,

esquivas gallinetas

a trompicones.

Gallineta común: *Gallinula cloropus*

Gallina pequeña (*gallinula-ae*: pequeña gallina, gallineta)

de patas verdes (*clorus*: verde y *pous*: pie).

Arisco rascón

de patas oscilantes

alegre gruñes

Rascón europeo: *Rallus aquaticus.*

Ave con plumaje raido (del latin *rallus-a-um*: pelado, raido)

que vive en el agua (*aquaticus-a-um*).

Gregarias grullas
los masai del norte
y vocingleras.

Grulla común: *Grus grus.*

Grulla (*grus-uis*: onomatopéyico).

Un alcaraván

con los ojos saltones

a la carrera

Alcaraván común: *Burhinus oedicnemus*

Ave con cabeza de bóvido (del griego *bous*: buey), pico en forma

de nariz (*ris- rinos*: nariz) y con patas hinchadas (*oideo*: hinchar y *cneme*: pata).

El zampaostras
afora las mareas
desde las rocas.

Ostrero euroasiático: *Haematupus Ostralegus.*

Ave de patas sangrantes (*haima*: sangre mas *pous*: patas) ladrón de ostras.

Las avocetas,

cebras voladoras

con doladera.

Avoceta común: *Recurvirostra avosetta*

Avoceta (vernáculo italiano *avossetta*)

de pico curvo, retorcido (*recurvus-a-um*: encorvado, curvo, y *rostrum-i*: pico).

Por las lagunas,

la canija cigüeña,

juega con zancos.

Cigüeñuela común: *Himantopus Himantopus.*

Del griego *himantos*: banda y *pous*: pie.

Bajas mareas,

cabezas de chorlito

enamorados.

Chorlito gris: *Pluvialis scuatarola.*

Del latín *pluvialis*: relacionado con la lluvia y

sgatarola: vernáculo veneciano, chorlito.

Corre que corre

un neura patinegro

por las orillas

Chorlitejo patinegro: *Charadrius Alexandrinus.*

Chorlito (del latín medieval *charadrius-ii*: relacionado con Alejandría).

Las avefrias

insignias del invierno

vuelo cansino

Avefria europea: *Vanellus vanellus*

Del latín *vannus.i*: criba cedazo (por el vuelo amariposado).

Albinas playas,

perforan, optan, comen,

desaparecen.

Aguja colinegra: *Limosa limosa.*

Del latín *limosus*: que anda en el barro.

Por suculento

le dio su apellido

el rey canuto

Correlimos gordo: *Calidris canutus*

De *skalidris*: ave costera y de *canutus*, en recuerdo del rey nórdico Canuto.

Los tridactilos
patrullan incansables
el rebalaje.

Correlimos tridáctilo: *Caladris alba*

Del griego *skalidris*: ave costera y de color claro (*albus-a-um*: blanco).

Densos fangales,
y los agachaditos
no saben bailar.

Agachadiza chica: *Lymnocriptes minimus.*

Del griego *limne*: marisma y *krupto*: escondido.

Sordas becadas

esquivas zigzaguean

entre los brezos

Chocha perdiz: *Scolopax rusticola.*

Perdiz de pico como una estaca (del latín *scolopax-acis*),

relacionada con lo rústico (*rusticulus-a-um*).

El andarríos

registra arroyos

con bamboleos.

Andarríos chico: *Actitis hypoleucos.*

Habitante del litoral (del griego *actites*: blanquecino por debajo, y de *hipo*: bajo y

leucos: blanco).

Limpias charcas
espejos de Diana
y andarríos.

Andarríos grande: *Tringa ochropus.*

Del griego *trungas*: ave acuática, mencionada por Aristóteles,

okhros: pálido y *pous*: pie.

Claros silbidos
perfilan las riberas,
destellos rojos.

Archibebe común: *Tringa totanus.*

Del griego *trungos*: ave acuática mencionada por Aristóteles y

del italiano *totano*: archibebe.

Entre guijarros,

el ave de la langosta,

hace su casa.

Canastera común: *Glareola pranticola*

De *glarea-ae*: grava, cascajo y de *pratum-i*: prado más *incolae*: habitante.

Voraz gaviota

te bañas en las olas

zarcas del cielo

Gaviota reidora: *Chrroicocephalus Ridibundus.*

Del griego *chroia*: color y *kephalos*: cabeza y del latín *ridibundos*: risueño.

Mares revueltos,

planeos vigilantes,

birlebirloque

Charrán común: *Stera hirundo*

Del inglés antiguo *stern*: fumarel y del latín *hirundo*: golondrina.

En el invierno

te quitas el sombrero

cortés pagaza.

Golondrina que rie (del griego *quelidon,* golondrina más *gelao*: reírse, burlarse)

relacionada con el rio Nilo (*niloticus-a-um*).

Embriagados

Juegan con las sirenas

a la rayuela.

Pahiño boreal: *Oceanodroma leucorhoa.*

Del griego *okeanos*: océano y *dromos*: corredor, *leukos*: blanco y *orrhos*: trasero.

Ríe la brisa,
génovas afiladas
driblan las olas.

Pardela balear: *Puffinus mauritanicus.*

De del inglés medieval *pophyn*: cuerpo adobado del polluelo de la pardela y
del latín *maurus*: moro, africano del norte.

Madre cigüeña,

perito eléctrico

y religiosa

Cigüeña blanca: *Ciconia ciconia.*

Cigüeña de los antiguos (*ciconia-ae*: cigüeña, onomatopéyico).

Manteo negro,

paisajes solitarios

aguas someras

Cigüeña negra: *Ciconia nigra.*

Del latín *ciconia*: cigüeña y *niger*: negro.

Rompiendo el mar
un salado piquero
tarde de pesca

Alcatraz atlántico: *Sula basana.*

Piquero (*sula*: palabra noruega para piquero) de la isla de Bass.

Cuervo marino

argolla en el cuello

y luciérnagas.

Cormorán grande: *Phalacrocorax carbo.*

Ave que tiene algo que ver con los cuervos calvos (*phalacrocorax-acis*: cuervo

marino) y de color carbón (*carbo-onis*: carbón).

Al crepúsculo,

palo fisgón, inmóvil

avetorillo.

Blanca garceta

con cola de caballo

y pies dorados

Garceta común: *Egretta garceta.*

Del francés *aigrette*: pequeña garza y del italiano *garzetta*: garza pequeña.

Sabrosos pastos,

ganado acarrando.

Aprovechadas

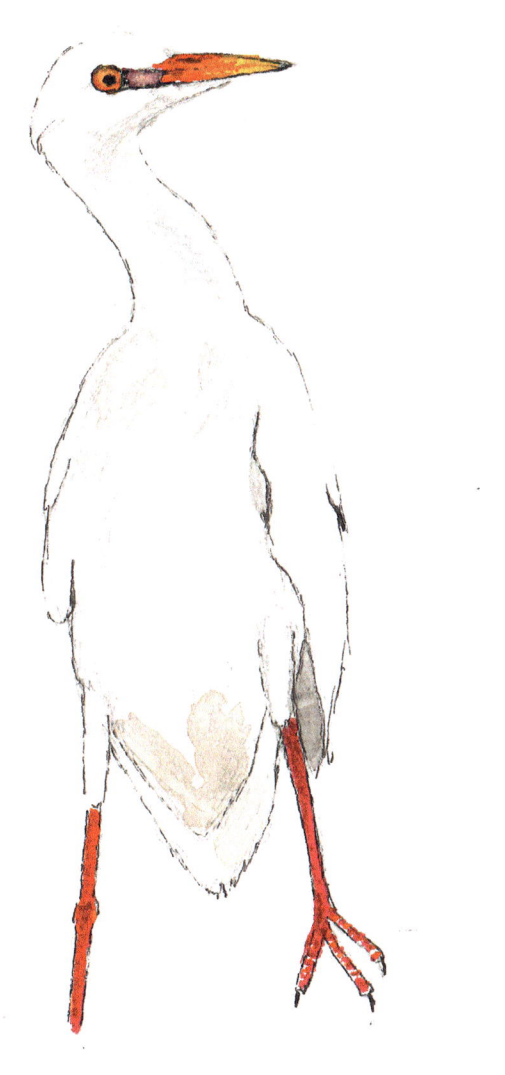

Roncos graznidos,

lleġa la noche. Callan.

cuellos de ġarza.

Garza imperial: *Ardea purpurea.*

Del latín *ardea*: garza y del griego *porphureos*: de color púrpura.

Con grácil moño

y asesino puñal

vela el airón.

Garza real: *Ardea cinerea.*

Garza de los antiguos (*ardea-ae*: garza)

de color ceniza (*cinerius-a-um*: ceniza, ceniciento).

Negro sombrero,

la mirada ígnea,

cantor de fragua.

Martinete común: *Nycticorax Nycticorax*

Cuervo nocturno (*nictos*: noche y *corax*: cuervo).

Eres esquivo

misterioso neopron

y rompehuevos

Alimoche común: *Neophron pernopterus.*

Buitre (Neofronte, convertido en buitre por Zeus)

de alas negras (*percnos*: negro y *pteron*: negro oscuro.

Cumbres óseas
fémures por las nubes,
despedazados.

Quebrantahuesos: *Gypaetus barbatus.*

Del griego *gupaietus:* especie de rapaz y del latín *barbatus*: barbado.

Clara gorguera

entre los muladares

y vacas locas.

Buitre leonado: *Gyps fulvus.*

Buitre (del griego *gips*: buitre) de color amarillento (*fulvus-a-um*) leonado.

Suben al cielo

los frailes, solitarios,

brazos en cruz

Buitre negro: *Aegypius mona*

Buitre (Egipio o Aegypius, convertido en buitre por Zeus) solitario y aspecto de

monje (*monachus-a-um*: referido a solitario, asceta, monje).

Ya amaneció,

en las puertas del cielo

la perdicera.

Águila azor perdicera: *Hieraaetus Fasciatus*.

Del griego *hierax*: halcón, *aetos*: águila y del latín *fasciatus*: con rayas.

Ya es otoño

ya ronca la dehesa,

garras de coral.

Águila imperial ibérica: *Aquila adalberti*.

Del latín *aquila*: águila y *adalberti*, en referencia del príncipe prusiano

HeinrichWilhelm Adalbert.

Majestuosa,
el águila dorada
rasga el cielo

Águila real: *Aquila chrysaetos.*

Águila (de *aquila-ae*) dorada o brillante (de *crisos*: oro y *aetos*: águila).

El aguilucho

un velero ceniza

no celiaco.

Aguilucho cenizo: *Circus pigargus.*

Del griego *kirkos*: tipo de halcón y *pigargos*: ave de presa.

El lagunero

patrulla por la nava

impertinente.

Aguilucho lagunero occidental: *Circus aeroginosus.*

Ave de presa (véase la anterior), aguilucho (*aeroginosus*) herrumbroso.

Frondosos bosques
sombra de un azor,
muerte súbita

Azor común: *Accipiter gentilis.*

Del latín *accipiter*: halcón y *gentilis*: noble.

Ratones, topos,

garras hipodérmicas,

desesperación.

Busardo ratonero: *Buteo buteo.*

Del latín *buteo*: ratonero.

Zumban las sombras,
refiñando* los ojos
buscan latidos.

Autillo europeo: *Otus scopos.*

Del griego *otus*: buho y *skops*: pequeña lechuza con plumas en forma de cuernos.

*Localismo (Grado-Asturias), forma de cerrar los ojos ante el exceso de luz.

Duque montaraz

búho de las tinieblas

y somnoliento

Buho real: *Bubo bubo.*

Búho o mochuelo de los antiguos (*bubo-onis*: onomatopéyico).

No más lamentos

cárabo de la noche

dejanos dormir

Cárabo común: *Strix alauco.*

Ave nocturna de grito estridente (del latín *strix-strigis* y

de *alucus-i*: que no tiene luz).

Llega la tarde

una vaga penumbra

Libre mochuelo

Mochuelo común: *Athene noctua.*

Ave nocturna (*noctua-ae*) relacionada con Atenea.

Blanca lechuza

callada, cortijera

y meapilas

Lechuza común: *Tyto alba.*

Lechuza (del griego *tito*) de color blanco (*albus-a-um*).

Canta flamenco
con traje de gitana
y abanico.

Abubilla: *Upupa epops.*

Del latín *upupa-ae*: abubilla, onomatopéyico.

Un arco iris,

abejaruco uco,

en movimiento

Abejaruco europeo: *Merops apiaster.*

Del griego *merops*: pájaro que come abejas y de *apis-is*: abeja.

Recio índigo

sábado de tinieblas

gritan las carracas

Carraca europea: *Coracias garrulus*

De *corax*: cuervo y de *garrulus-a-um*: que trina.

Atento vigilia
desde la atalaya,
electrizante

Martín pescador común: *Alcedo atthis.*

Del griego *alcion*: martín pescador y Atthis: hermosa joven de la isla de Lesbos.

El torcecuello

es gritón, lengüetón

y cabeza loca.

Torcecuello euroasiático: *Jynx torquilla.*

Del griego *iunx:* torcecuello y de *torquilla-ae*: cadena

para el cuello, torcer el mismo.

Álamos secos,

bulliciosos batanes

percusionistas

Pito real: *Picus viridis.*

Del latín *picus*: pico carpintero y *viridis*: verde.

Sordas campanas

repican en el bosque,

artillería.

Pico picapinos: *Dendrocopus Major.*

Del griego *dendron*: árbol y *kopos*: meneador, sacudidor, y del latín *maior*: grande.

Cruel atardecer,

vertiginosos vuelos

fallecimientos.

Halcón peregrino: *Falcoperegrinus.*

Del latín *falco*: halcón y *peregrinus*: peregrino, viajero.

Paredes huecas

delatan a los amos

amenazados.

Cernícalo primilla: *Falco Naumanni.*

Del latín *falco*: halcón y *Naumanni*: en honor al artista y ornitólogo alemán

Johann Frieedrich Naumann.

El cernícalo

tamiza en el cielo

los alimentos.

Cernícalo vulgar: *Falco tinnuculus.*

Halcón (*falco-onis*: halcón) que chilla (*tinunculus*: chillón, estridente.

Voz de castrati,

luvia de blancos copos,

dorremifasol

Vlad empalador,

espetos en acacias,

y alcaudones.

Carnicero senador (de *lanius-ii*: carnicero y *senator*: por la toga rojiza).

El arrendajo

juega en el otoño

con las bellotas

Arrendajo común: *Garrulus glandarius.*

Ave que trina o gorjea mucho (de *garrulus-a-um*: garrulo) relacionado con las

bellotas (*glandarius-a-um*: que produce bellotas).

Frías mañanas,

por cumbres borrascosas

sordos chillidos.

Chova piquirroja: *Pyrrhocorax pyrrhocorax.*

Del griego *purros*: fuego y *korax*: cuervo.

Terrible cuervo

de lúgubre graznido

y nunca jamás[*]

   [*]*El cuervo* de Edgar Allan Poe.

Cuervo: *Corvus corax.*

Cuervo (del latín *corvus*: cuervo y del griego *korax*: cuervo).

Frías miradas

de eclipse de luna,

rompen el cielo.

Grajilla: *Corvus monedula.*

Cuervo de menor tamaño (*monedula-ae*: especie de corneja).

Filibusteras

golfas y descaradas

«La gazza ladra»*

*Ópera de Rossini.

Urraca: *Pica pica.*

Del latín *pica*: urraca.

Muere la noche,
silencioso olivar,
gritos dolientes.

Rabilargo: *Cyanopica cooki.*

Córvido azul oscuro (*cianeus*) nombrado en honor de

Samuel Edward Cook, naturalista británico.

Un sotobosque,
destellos amarillos
y azabaches.

Carbonero común: *Parus major.*

El más grande, del latín *parus*: párido y *maior*: el mayor, el más grande.

Entre pinares,

retozan acículas

y nucas blancas.

Carbonero garrapinos: *Periparus ater.*

Del griego *peri*: muy, mucho más y del latín *parus*: párido.

Tardes de calor,
húmedas umbrias
ora el monje.

Herrerillo capuchino: *Lophophanes cristatus.*

Del griego *lóphos*: cresta y *phaino*: enseñar, mostrar y del latín *cristatus*: cresta.

Un herrerillo,

familia numerosa,

y cabañuelas.

Herrerillo común: *Cyanites caeruleus.*

Párido de color azul oscuro: (*kuaneos*: azul oscuro y *caeruleus-a-um*: azul oscuro).

Por las riberas

el trapecista burlón

hace su casa.

Pájaro moscón: *Remiz pendulinus*

Pájaro tejedor que cuelga (del polaco *remiz*: tejedor y

del latín *pendulus*: que cuelga en el aire).

Canta la mañana

y mientras, las alondras,

su vuelo alzan.

Alondra común: *Alauda arvensis.*

Ave de canto alto relacionada con los cultivos (de *alauda-ae*; de *al*: alto y de *aud*:

canto; *arvensis-e*: tierras de labor, cultivos).

Desapareces

mimética terrera

tras silicórneas

Terrera común: *Calandrella brachydactila*

Calandria con los dedos cortos (diminutivo de *kalandros* y de *brakhys*: corto y

daktylos: dedos).

La calandria

desciende del cielo

con trino fácil

Calandria común: *Melanocoryfha calandra*

Ave con la cabeza oscura relacionada con la calandria de los antiguos griegos

(*kalandros*: calandria, *melas*: negro, oscuro y *corife*: coronilla).

Secos rastrojos,

son tardes de verano

y cogujadas

Cogujada común: *Galerida cristata*

Ave con peluca y cresta (del latín *galeritus-a-um*: birrete, peluca y de *cristatus*:

cresta).

En el otoño,

amanecer de trasgos

falsas alondras.

Totovía: *Lullula arbórea.*

Voz onomatopéyica del francés *lulu*, para denominar la *totovía,*

y del latín *arbor*: árbol.

Vuela y vuela

entre los campos del aire,

canta y canta

Buitrón: *Cisticola juncidis.*

Ave pequeña que cría entre arbustos y frecuenta los juncos (de *cisthos*: jara,

arbusto y de *juncus-i*: junco).

Jovial trino,

el lenguaje de los juncos,

un carricerín.

Carricerin común: *Acrocephalus schoenobaenus.*

Ave con la cabeza puntiaguda que camina entre los juncos (del griego *acros*: alto,

elevado, puntiagudo mas *cephale*: cabeza; *shoenus-i* del griego *skhoinos*: junco y

baino: andar caminar).

Es primavera,

cantan con descaro

los carricaros.

Carricero común: *Acrocephalus scirpaceus.*

Carricero que vive entre los juncos (de *scirpus*: junco mas *aceus-a-um*: sufijo para

indicar, morada, vivienda).

Verdes eneas,

los chirridos del tordal,

cálidas tardes.

Carricero tordal: *Acrocephalus arundinaceus*

Ave de cabeza picuda que vive entre las cañas (del griego *acros*: agudo,

puntiagudo y *cefale*: cabeza; *arundo—inis*: especie de caña mas el sufijo *aceus-a-*

um: morada, vivienda.

Triscan las hojas,

ya ronca el verano.

Interpretación.

Zarcero común: *Hippolais polyglota*.

Del griego *hupolais*: especie de pájaro que anida en el suelo y

de *poluglotus*: políglota.

Ve a buscarlas

por entre los tarajes

y las encontraras-

Buscarla pintoja: *Locustella naevia.*

Comedora de saltamontes con manchas, jaspeada (de *locusta*: langosta,

saltamontes, y de *naevus*: mancha lunar).

Altos aleros,

perturbados chirridos,

prontos aviones.

Rompe la presión,

levitan los mosquitos,

vuelos rasantes.

Avión roquero: *Ptyanoprogne Rupestris.*

Del griego *ptuon*: abanico y *progne*: golondrina, vencejo, y del latín *rupestris*: de

las rocas, montaraz.

En tierra nacen,

sobre el agua rien,

del aire comen.

Avión zapador: *Riparia riparia*

Ave que nidifica en la ribera de los ríos (del latín *ripa*: ribera de rio).

Es primavera
Progne ha regrsado
dias de fiesta.

Golondrina común: *Hirundo rustica*

Golondrina relacionada con el campo, lo rural (del latín *hirundo-inis*: golondrina

y de *rusticus-a-um*: relativo al campo, rústico).

Rosa del Baikal
que por el aire vino
desde la Dauria.

Golondrina daúrica: *Cecropis daurica.*

Golondrina con cola de serpiente (de Kekrops, primer rey de Ática, al que
se representaba con cuerpo de humano y cola de sierpe) relacionada con la
Dauria, antigua región de Asia, convertida en la actualidad en la reserva natural
Daursky, situada en Siberia cerca de la frontera con Mongolia.

Los mosquiteros
con gotas de rocio
lavan la cara.

Mosquitero común: *Phylloscopus collybita.*

Del griego *phullon*: hoja y *skopos*: buscar y del latín *collybista-ae*: banquero,

corredor, cambista (debido a su reclamo metalizado que recordaría el chasquido

de monedas).

Trinos, mas trinos,

cánticos de capela

armonizados,

Mosquitero musical: *Phylloscopus trochilus.*
Del griego trokhilos, ave parecida al chochín.

—236—

El papialbo

con telas de araña

pinta la casa.

Mosquitero papialbo: *Phylloscopus Bonelli.*

Observador de plantas (del griego *phyllon*: hoja de árbol o de planta mas

skopos: observador y por el naturalista italiano Franco Andrea Bonelli).

Rotos tarajes,

cánticos de bastardos.

monotonía.

Cettia ruiseñor: *Cettia cetti.*

Francesco Cetti fue un fraile, matemático y naturalista italiano

en cuyo honor Temmink nomina el ave.

Pacojs. Ma.

Un sotobosque,
doctos entomófagos
de rabos largos

Mito: *Aegithalos caudatus.*

Del griego *aegithalos*: herrerillo, chorlito y del latín *caudatus-a-um*: de larga cola.

Negras cabezas
besando el matorral,
vuelos nerviosos.

Curruca cabecinegra: *Sylvia melanocephala*.

Pequeña curruca con la cabeza negra (del griego *melas*: negro y *khefale*: cabeza).

Frescas campiñas,

mañanas de concierto

papo hinchado.

Curruca capirotada: *Sylvia atricapilla.*

Ave que habita en el sotobosque con el cabello negro

(de *ater-tra-trum*: negro mate y de *capillus-i*: pelo, cabello).

Ojos de leche,

ya llagó la mirlona,

es primavera

Curruca mirlona: *Sylvia hortensis.*

Curruca relacionada con los huertos y jardines (de *hortus*: jardín, huerto).

—248—

Melosos higos,

discretas vestimentas,

glotonería.

Curruca mosquitera: *Sylvia borin*

Del latín *sylvia*: bosque y del genovés *borin* (que anda con el *bos*: buey).

Lloran que lloran,

ojos de zarzamoras

por los rincones.[*]

[*]Copla popular.

Curruca zarcera: *Sylvia communis.*

Curruca común (del latín *communis*: común, vulgar, ordinaria).

Suaves silbidos,

trepan por las cortezas

buscando amor.

Agateador común: *Certhia brachydactyla.*

Pájaro pequeño identificado por los antiguos griegos como trepador (*certios*) con

los dedos cortos (de *brakhys*: corto y *daktulos*: dedo).

Grasientos vermes

en las encinas muertas,

día de fiesta

Trepador azul: *Sita europea.*

Pco carpintero citado por Aristóteles y nombrado en la actualidad como trepador

(*sitte*: clase de picoverde), relacionado con Europa.

Concupiscecia.

Afanoso constructor

de picaderos.

Chochin común: *Troglodytes troglodytes.*

Del griego *troglodytes*: el que vive en cuevas, troglodita.

Tordo de agua,
mudas genuflexiones
de advertencia

Mirlo acuático: *Cinclus cinclus*

Según Linneo, motacilla de pecho blanco y cuerpo negro (del griego *kinklos*: ave

no identificada que menea la cola, según Aristófanes y Aristóteles.

Calla la tarde,
alborotan pájaros,
buscan la cama.

Estornino negro: *Sturnus unicolor*

Del latín *sturnus*: estornino y unicolor: de color uniforme.

Oscura nube,

es tarde de invierno

y estorninos.

Estornino pinto: *Sturnus vulgaris.*

Estornino común (del latín *sturnus-i*: estornino, pájaro parecido al tordo y

vulgaris-e: común, corriente, vulgar).

Blandos inviernos

Juntan blancos collares

y tapaculos.

Mirlo capiblanco: *Turdus torquatus.*

Del latín *turdus*: tordo y *torquatus*: con collar.

Pacojk 17A.

Ojos de mirlo,

plumas negras que mojan

cantos de amor

Mirlo común: *Turdus merula.*

Tordo de los antiguos que revolotea solo

(de *turdus-i*: tordo y *merula*: ave, tordo, a su vez de *mera*: solitario).

Frías escarchas,

son días de invierno,

y alirrojos

Zorzal alirrojo: *turdus iliacus.*

Túrdido que tiene que ver con los lados o costados

(de *iliacus-a-um*: lados costados, ijares, a su vez del griego *eileo*: envolver).

Ancianos robles
reviven el muérdago,
canta el malvís.

Zorzal común: *Turdus philomelos.*

Del latín *philomela*: ruiseñor. Según la mitología griega, Filomela, hija del rey de Atenas, tras matar a su cuñado, que la había violado, fue transformada por Zeus en ruiseñor.

Alza la cola

para abanicarse,

verdes chumberas.

Alzacolas rojizo: *Cercotrichas galactotes.*

Tipo de zorzal de los antiguo con la cola lechosa

(del griego *kerkas*: cola, *trikhás*: tordo y *gala*: leche).

Marcadas mechas,

piruetas en el viento.

atrapamoscas.

De moscas (*musca-ae*: mosca, *capio*: coger) con estrías (*striatus-a-um*: estriado,

marcado).

Los petirrojos

juegan al escondite

impertinentes.

Petirrojo: *Erithacus rubecula*

Petirrojo de los antiguos (*erithacus-i*: petirrojo) y relacionado con el color rojo

(*ruber-bra-brum*: rojo, colorado encendido).

Un colirrojo

negro como un tizón

y tembloroso

Colirrojo tizón: *Phoenicurus ochruros.*

Ave que tiene rojas las plumas de la cola (del griego *foinicurus*) y amarillenta (de

okhros: amarillo pálido más *uros*: cola).

En el otoño

hacen el equipaje

las vitifloras.

Collalba gris: *Oenanthe oenanthe*

Especie de ave citada por Aristóteles relacionada con la flor de la vid (de

oeonanthe-es: avefría, flor de la vid, nombre de planta).

Claros y maquis,
disfraces de fiesta,
collalbas rubias.

Collalba rubia: *Oenanthe hispánica*

Collalba relacionada con la Península Ibérica (de *hispanus-ica-um*: relacionado

con España).

Parada y fonda,

cambiantes papamoscas,

desaparecen.

Papamoscas cerrojillo: *Ficedula hypoleuca.*

Ave que come higos y es blanca por debajo

(de *ficedula-ae*: papafigos, *hypó*: bajo y *leucos*: blanco).

Grises cárcavas,

cantos en solitario,

viejos rokeros.

Roquero solitario: *Monticola solitarius.*

Ave que habita en las montañas

(de *mons*: monte, *colere*:, vivir y *solitarius, -a, -um*: aislado, solitario).

Duro rokero,
vocalista de lujo
de Barón Rojo.

Roquero rojo: *Monticola saxatilis.*

Habitante de las montañas que cría y vive entre las peñas

(de *mons*: montaña, *colo-is-ere*: vivir, habitar y *saxum-i*: piedra).

Rompe el alba,

canticos a capela

calla el bosque.

Ruiseñor común: *Luscinea megarhynchos*.

Ruiseñor de pico ancho

(de *luscinia-ae*: ruiseñor y del griego *megas*: grande, ancho y *rincos*: hocico, pico.

Lenes inviernos,

paraíso de guiris,

ruiseñor sueco.

Pechiazul: *Luscinia svecica.*

Del griego *luscinia*: ruiseñor, de *luscus*: que ve mal al atardecer y por la noche, y

suecicus: sueco.

vigilantes,

otean sus dominios

las tarabillas.

Tarabilla común: *Saxicola torquata.*

Ave que vive en las rocas y tiene collar

(del latín *saxum-i*: piedra, roca, *colos-ere*: vivir, habitar y *torquis-is*: collar).

Muere la noche,

corona de purpura,

renace el rey.

Reyezuelo listado: *Regulis ignicapillus.*

Pequeño rey cabello de fuego

(de *rex-regis*: rey, *ignis*: fuego y *capillus*: pelo, cabeza).

Entre ciruelos
cánticos de festejo,
novios celosos.

Acentor común: *Prunella modularis.*

Ave de color marrón ciruela (según Vas y Sanabria diminutivo del latín medieval *prunus*: ciruela; pero Ortega lo lleva a *braunelle*: gorrión de zarzal, diminutivo de *braun*: marrón) de canto melodioso (de *modulus-i*: compás, ritmo, melodía).

Brumoso día,

por las incultas rocas

agrios quejidos.

Gorrión chillón: *Petronia petronia.*

Gorrión que vive entre las rocas (*petre-ae*: roca, peñasco).

Mundanos gorriones

sois los niños traviesos

de las ciudades.

Gorrión común: *Passer domesticus.*

Gorrión (del latín *passer-ris*: gorrión) relacionado con la casa

(*domesticus-a-um*: casero, de la casa).

Cantos al viento,
alegre motacilla
flor de los prados.

Bisbita común: *Anthus pratensis.*

Ave relacionada con las lavandera (de *anthus-i*: aguzanieves, aunque otros autores

la derivan del griego *anthos*: flor que vive en los prados (de *pratensis-e*: prado).

Atrapan moscas,

los cuerpos inclinados,

colas trémulas.

Lavandera blanca: *Motacilla alba.*

Ave que mueve la cola de color blanco (de *albus-a um*: blanco).

Claros torrentes,

trasiegos temblorosos,

de cascadeñas.

Lavandera cascadeña: *Motacilla cinérea.*

Motacilla de color ceniza que mueve la cola

(de *moto-are*: que mueve, y de *cineris-is*: ceniza.

Gélidos trinos,

los árboles desnudos,

ya es invierno.

Pinzón real: *Fringilla montifringilla*

Del latín *mons*: monte y *fringilla*: pinzón.

Dulces reclamos,

instantes de silencio,

vuelven los trinos.

Pinzon vulgar: *Fringilla coelebs.*

Del latín *fringilla*: ave pequeña y *coelebs*: célibe, soltero.

Rojos cerezos,

aceros quirúrgicos.

Especialistas.

Picogordo: *Coccothraustes coccothraustes.*

Ave que rompe las semillas de las que se alinentan

(del griego *cocos*: semilla, almendra más *trauo*: romper, triturar).

Un camachuelo,

rechoncha picaflora

acicalada

Camachuelo común: *Phyrrula phyrrula.*

Pájaro rojo que se alimenta de gusanos

(del griego *pirroulas*, ya citado por Aristóteles).

Falsos amores

canticos de libertad.

Encarcelados

Jilguero: *Carduelis carduelis*

Del latiín *carduelis*: jilguero, procedente de *cardus*: cardo.

Tuno pardillo
te colocas con grifa
entre los cáñamos.

Pardillo: Carduelis cannabina:

Jilguero comedor de semillas de cáñamo (*cannabinus-a-un*: cáñamo).

Un doble garfio,

exquisitos piñones.

Abastecido.

Piquituerto: *Loxia curvirrostra*.

Fringílido con el pico curvado

(del griego *loxos*: curvado, curvo, *curvus:* curvo y *rostrum*: rostro, pico).

Los verdecillos

se hacen mariposas

para seducir.

Verdecillo: *Serinus serinus.*

Variedad de canario (del francés *serin*, derivada a su vez de la palabra latina

citrinus: de color amarillo limón).

Verde verderol

te cantaba Juan Ramón

al atardecer.

Verderón común: *Chloris chloris.*

De color verde amarillento, del griego *khloros*: verde amarillento, amarillo.

Van montesinos

camino de las heras,

apagados silbos

Escribano montesino: *Emberiza cia.*

Escribano, del alemán *embritz*: escribano y

del genovés *cía*: onomatopéyico de su canto.

Huyes del frio
vestido de travesti
pardo palustre.

Escribano palustre: *Emberiza schoeniclus.*

Pequeño escribano de ribera (del griego *skoiniklos*: pequeño pájaro, ya citado por

Aristóteles).

Fuente sedienta,
los cuerpos esponjados
salpican vida.

Escribano soteño: *Emberiza cirlus.*

Pájaro escribano del alemán *emmritz- embritz*: escribano y del nombre local de

Bolonia *cirlo*, para nominar algún tipo de escribano.

Viejos almendros,

canticos miserere.

Aburrimiento.

Triguero: *Emberiza calandra*.

Del antiguo alemán *embritz*: escribano y del griego *kalandros*: calandria.

Bibliografía

A.Vas Falcón – L.Sanabria: *De ciconia a cigüeña.* La mayor parte de la etimología se ha tomado, con muchas libertades, de este excelente trabajo.

Antonio Gonzalez Gomez: *Etimología y significados de los nombres comunes y científicos de las aves de España.*

Enric Ortega Gonzalez: *Diccionari etimológic dels noms dels ocells dels Paisos Catalans.*

Francisco Bernis Madrazo: *Diccionario de nombres vernáculos de aves.*

Un petirrojo en una jaula
Enfurece a todo el cielo.

WILLIAN BLAKE

Doy las gracias a todas las aves que me han ayudado a ser mucho más feliz durante mis últimos cincuenta años.

Los versos de los haiku siguen siempre las reglas métricas,
aunque no todos los poemas consiguen la misma ortodoxia.